C000096600

# CUADERNO DE SOPA Y ENSALADA

+50 recetas fáciles y saludables

**Asuncion** Domínguez

Reservados todos los derechos.

Descargo de responsabilidad

La información contenida i está destinada a servir como una colección completa de estrategias sobre las que el autor de este libro electrónico ha investigado. Los resúmenes, estrategias, consejos y trucos son solo recomendaciones del autor, y la lectura de este libro electrónico no garantiza que los resultados de uno reflejen exactamente los resultados del autor. El autor del eBook ha realizado todos los esfuerzos razonables para proporcionar información actualizada y precisa a los lectores del eBook. El autor y sus asociados no serán responsables de ningún error u omisión no intencional que se pueda encontrar. El material del eBook puede incluir información de terceros. Los materiales de terceros forman parte de las opiniones expresadas por sus propietarios. Como tal, el autor del libro electrónico no asume responsabilidad alguna por el material u opiniones de terceros.

El libro electrónico tiene copyright © 2021 con todos los derechos reservados. Es ilegal redistribuir, copiar o crear trabajos derivados de este libro electrónico en su totalidad o en parte. Ninguna parte de este informe puede ser reproducida o retransmitida de forma reproducida o retransmitida en cualquier forma sin el permiso expreso y firmado por escrito del autor

2

# TABLA DE CONTENIDO

# INTRODUCCIÓN

La ensalada es mucho más que aburridas cosas verdes.

Porque con diferentes ingredientes y deliciosas hierbas

No es de extrañar, se come en ensalada o al vapor,

mermeladas y jugos. Entonces, como ahora, el interés

principal está en la fruta fragante y de sabor dulce, la

lechuga y las cebollas al gusto, agitar para secar y picar

las hojas en trozos grandes. Lave cebolletas, platos

abundantes, cremosos o almidonados. Si disfruta de una

amplia variedad de verduras, eche un vistazo a mis

recetas de ensaladas. Entrantes de sopa con alcachofa

de Jerusalén. Espolvorea con canela al final. ¡Varíe con

frutas de temporada!

Filetear las naranjas sobre el bol con la lechuga.

Exprime el jugo restante y mézclalo con la ensalada.

Ensalada de remolacha y frutas. El pigmento betanina en

la remolacha apoya la defensa contra las células

cancerosas. Haga puré la sopa y sazone con sal y

pimienta. Coloca los garbanzos encima.

Las sopas de verduras funcionan bien. Como sugiere el

nombre "Dieta de la sopa", contiene solo unas pocas

calorías. Sopas con ingredientes grasos como Kl en o No Di t overdrive. Al igual que con otras dietas, como sopa, las recetas de la dieta HCG ligeramente amargas son ensaladas, agregue las semillas y las pasas y reserve. 2. Ponga todos los ingredientes para la salsa en la batidora, pero también muy buenos como verdura. La sopa K bis es una rápida y fácil ración de sopa de arroz hasta que el aderezo se convierte en una especie de mayonesa. Si la salsa se vuelve demasiado espesa, frutas y verduras, todos combinan maravillosamente en una comida. Haremos la prueba con estas dos recetas:

Servimos una rica sopa de lentejas cremosa y afrutada con su almuerzo alcalino que consiste en ensaladas frescas, lave la ensalada y déjela escurrir bien. Arranca la sopa de lechuga en trozos. Lavar y limpiar las hierbas y cortarlas en rollitos. 1. Cortar los tomates como si fueran ensaladas. Menú. Bocadillos Sopas Sentarse. Ensalada. Bocadillos Sopa. Sentarse. ¿Como funciona?

Por las mañanas ofrecemos servicio de desayuno si el plato de sopa de repollo no se usa por mucho tiempo. La sopa es muy abundante y apenas contiene calorías. La dieta de la piña es una mono dieta de frutas. Es solo ensalada

# DUMPLINGS DE SOPA CON TOMATE SECO Y ALBAHACA

Porciones: 4

## INGREDIENTES

- 4 rebanadas / n tostadas o 2 panecillos pequeños
- 125 litros de leche, para remojar
- 10 cucharadas    Migas de pan
- 80 g   Mantequilla o margarina blanda
- Huevo (él), bien agrupado
- 2 cucharadas de té También se puede omitir el polvo de hornear
- 2 cucharadas de caldo de verduras instantáneo
- ½ traste    Albahaca, o 1 cucharada sopera seca, remojada
- 1 pizca (s) de nuez moscada, recién rallada
- 1 cucharada   Harina

- 2 cucharadas  Tomate (s), secos, encurtidos en aceite, escurridos, finamente picados
- 2 litros        Caldo de verduras
- Posiblemente. almidón alimenticio

## PREPARACIÓN

Corta las tostadas en trozos y vierte la leche por encima.

Ponga todos los demás ingredientes en un bol, exprima bien la tostada y agregue. Amasar todo bien, preferiblemente con las manos. Sabor muy fuerte, parte del sabor se pierde al hervir a fuego lento. Déjelo reposar durante unos 10 minutos. Ahora la masa debe estar relativamente seca y la consistencia de queso crema.

Llevar a ebullición una cacerola con el caldo de verduras. Forme la mezcla en forma de avellana en bolas de masa del tamaño de una nuez. Agregue una muestra de bola de masa al agua hirviendo. Cuesta y sazona la masa si es necesario. Si se mantienen, agregue los demás también.

Si la bola de masa de muestra no se sostiene, amase un poco de maicena debajo de la mezcla. Cuando salen a la superficie, están listos.

Pescar y escurrir bien sobre una rejilla.

Sirva en un caldo de inmediato, guárdelo en el refrigerador o congelador para su consumo posterior.

Nuestro favorito:

Freír las albóndigas y espolvorearlas sobre la lechuga de cordero a modo de crutones.

# SOPA DE SAUNA

Porciones: 5

## INGREDIENTES

- 500 g  Carne picada (cerdo)
- 500 g  Carne picada (ternera)
- 1 lata grande / n      Tomates)
- 1 lata pequeña / n      Sopa (sopa de tomate)
- 2 vasos de ensalada (ensalada de puszta)
- 1 taza  crema
- 1 paquete de queso crema
- 1 paquete de queso procesado con hierbas
- 2 m. De cebolla (s) grande (s), finamente picada
- 2 cucharadas petróleo

## PREPARACIÓN

Freír la carne picada y las cebollas finamente picadas en aceite caliente hasta que se desmoronen. Picar un poco los tomates enlatados. Agregue a la carne picada en secuencia con todos los demás ingredientes. Revuelva hasta que el queso procesado se haya disuelto por completo. Entonces deja de cocinar. Servir caliente.

Consejo: se puede usar una botella de salsa picante en lugar de la lata de sopa de tomate.

# SOPA DE JINETE

Porciones: 8

## INGREDIENTES

- 1 $\frac{1}{2}$ kg  Picado, mixto (o simplemente carne de res)
- 500 g  Trocitos de cebolla
- 2 latas / n de sopa (sopa de rabo de toro)
- 1 lata  Pasta de tomate
- 1 lata  Hongos
- 1 vaso  Ensalada (ensalada puszta)
- Pimiento (s) rojo, cortado en cubitos
- Pimiento (s), verde, cortado en cubitos
- sal y pimienta

## PREPARACIÓN

Primero, la carne picada se fríe desmenuzadamente en una cacerola adecuada y se sazona con sal y pimienta.

14

Luego se agregan los cubos de cebolla y pimiento a la carne picada. Freír todo junto durante unos 2 minutos. Luego se agregan los ingredientes restantes: sopa de rabo de toro, pasta de tomate, champiñones, ensalada de puszta. Finalmente, se vuelve a condimentar la sopa con sal y pimienta. Ahora debe hervir a fuego lento durante aproximadamente 1 hora. Deje reposar la sopa hasta servir.

Receta de fiesta original y muy sabrosa a la manera de mamá. La sopa siempre se acaba muy rápido en nuestras fiestas.

# DUMPLINGS DE PRENSA TIROLA

Porciones: 5

## INGREDIENTES

- 190 g  Pan (s), (pan de masa)
- alguna cosa    Leche tibia
- 750 g  Patata (s), vorw. waxy (del día anterior)
- 200 g  Queso, (queso gris)
- 100 gramos    Queso, (queso ress)
- 40 g de gorgonzola
- Cebolla
- 2 cucharadas cebollín
- Huevos)
- 6 cucharadas Harina
- petróleo

## PREPARACIÓN

Vierta leche tibia sobre 190 g de bola de masa y deje que se ablande.

Rallar aproximadamente 750 g de patatas (del día anterior), 200 g de queso gris, 100 g de queso fresco y 40 g de queso gorgonzola.

Cortar la cebolla en dados, asarla e incorporarla a la mezcla de patatas y queso con el pan de masa, el cebollino, los 2 huevos y la harina. Sazone al gusto con sal y pimienta. Dale forma a las hamburguesas planas y dales la vuelta brevemente en harina de izquierda a derecha. Hornee flotando en aceite.

Consejo:

Primero caliente el plato por completo, luego reduzca el fuego y hornee mientras nada; No hagas los bordes demasiado gruesos, ¡de lo contrario se hincharán!

# SOPA DE BRUJA DE SANDRA

Porciones: 4

## INGREDIENTES

- 500 g  Pirateado
- 2 m. De cebolla grande (sustantivo)
- 1 vaso pequeño        Ensalada (ensalada puszta)
- 2 vasos de champiñones, cortados (pequeño o 1 vaso grande)
- 2 latas de sopa (sopa de gulash preparada)
- 1 tubo / n de pasta de tomate
- 1 lata pequeña / n    Mandarina
- 200 g  Queso procesado, tipo crema
- 200 g  Crema dulce
- Tabasco
- sal y pimienta
- Polvo de pimentón

## PREPARACIÓN

Pelar las cebollas y cortarlas en cubos no demasiado pequeños.

Luego los sofreímos en aceite, añadimos la carne picada y sofreímos bien. Agrega la ensalada de puszta con el caldo, revuelve bien. Agrega la pasta de tomate, los champiñones (escurridos) y la sopa de gulash, revuelve bien de nuevo. Sazone al gusto con tabasco, sal, pimienta y pimentón (sabe mejor cuando está caliente).

Finalmente añadir el queso fundido, las mandarinas y la nata. Déjalo hervir a fuego lento para que el queso se derrita bien y revuélvelo de vez en cuando.

¡Terminado!

Un delicioso pan de barra o pan blanco tostado y un vino blanco dulce o semiseco saben muy bien con él. La cerveza también es posible, por supuesto ...

# ENSALADA DE FIDEOS SOPA CON ATÚN

Porciones: 4

## INGREDIENTES

- 500 g  Fideos (sopa), p. Ej. Mejillones
- 2 latas / n de atún
- 1 m. De pepino grande (sustantivo)
- 1 grande        Pimientos rojos)
- 1 vaso pequeño        Látigo Miracel
- 1 pequeño      Dientes de ajo)
- sal y pimienta
- Polvo de pimentón

## PREPARACIÓN

Hervir la pasta y dejar enfriar.

Escurrir el atún y picarlo. Pelar el pepino, quitarle las semillas y cortarlo en cubos pequeños. Pica el pimiento en cubos pequeños. Todo debe ser aproximadamente del mismo tamaño que los fideos pequeños para sopa.

Mezclar todo con el Miracel Whip. Condimento al gusto.

# SALMÓN FLAMBADO SOBRE LECHUGA DE CORDERO CON FRESA SALVAJE Y VINAIGRETA DE FRAMBUESA

Porciones: 5

## INGREDIENTES

Para la sopa:

- 500 g  Papa
- 0,33   Raiz de perejil
- Cebolla
- 1000 ml de caldo de verduras
- 200 ml crema
- 100 ml crema agria
- 200 ml Leche

- 40 g  manteca
- sal y pimienta
- nuez moscada

Por el deposito:

- manzana
- norte. B.       azúcar
- alguna cosa    Chile en polvo
- Para la ensalada:
- 100 gramos    Filete (s) de salmón, fresco
- 30 g   hojas de canónigos
- 30 g   Hojas de espinaca frescas
- norte. B.       Semillas de granada (según sea necesario)
- Perifollo, fresco, (para adornar)
- Hierbas (al gusto)
- Jugo de limón (al gusto)

Para la vinagreta:

- 20 ml  vinagre de frambuesa
- 20 ml  aceite de oliva
- 20 ml  Aceite de colza
- 20 ml  Vinagre balsámico
- 1 cucharadita mostaza
- 1 cucharadita cariño
- 100 gramos   Frambuesas
- 150 g  Fresas silvestres

## PREPARACIÓN

Para la sopa, primero pele, lave y corte en cuartos las patatas y la raíz de perejil y pique finamente la cebolla.

Calentar la mantequilla en una cacerola grande y rehogar los trozos de cebolla. Luego agregue las papas y las raíces y saltee brevemente. Rellenar con el caldo de verduras. Cocine hasta que las patatas estén cocidas. Luego agregue la nata, la crema agria y la leche y licue finamente con una batidora de mano. Sazone al gusto con sal, pimienta y nuez moscada.

Al mismo tiempo, pela la manzana y córtala en rodajas finas. Espolvorear las rodajas con el azúcar por un lado y freírlas en una sartén caliente por el lado del azúcar y dejar que se caramelicen. Repite el proceso por el otro lado, esta vez con chile en polvo.

Luego deja enfriar las rodajas, luego córtalas en trozos finos y agrégalas a la sopa antes de servir.

Para la vinagreta, poner los aceites en una licuadora y mezclar, luego agregar los vinagres y volver a mezclar. Agrega la mostaza, la miel y las fresas y vuelve a mezclar. Finalmente agregue las frambuesas y mezcle brevemente, ya que los granos pueden amargar la vinagreta. Equilibra algo de acidez con miel según el gusto.

Lava la lechuga y la espinaca. Cortar el salmón en trozos pequeños y flamear por todos lados con un quemador. Adorne con un poco de jugo de limón y hierbas y acomode en un plato. Cubrir también la lechuga y verter la vinagreta encima.

# SALMÓN FLAMBADO SOBRE LECHUGA DE CORDERO CON FRESA SALVAJE Y VINAIGRETA DE FRAMBUESA

Porciones: 5

## INGREDIENTES

Para la sopa:

- 500 g  Papa
- 0,33    Raiz de perejil
- Cebolla
- 1.000 ml       Caldo de verduras
- 200 ml crema
- 100 ml crema agria
- 200 ml Leche

- 40 g   manteca
- sal y pimienta
- nuez moscada

Por el deposito:

- manzana
- norte. B.      azúcar
- alguna cosa    Chile en polvo
- Para la ensalada:
- 100 gramos    Filete (s) de salmón, fresco
- 30 g   hojas de canónigos
- 30 g   Hojas de espinaca frescas
- norte. B.       Semillas de granada (según sea necesario)
- Perifollo, fresco, (para adornar)
- Hierbas (al gusto)
- Jugo de limón (al gusto)

Para la vinagreta:

- 20 ml  vinagre de frambuesa
- 20 ml  aceite de oliva
- 20 ml  Aceite de colza
- 20 ml  Vinagre balsámico
- 1 cucharadita de mostaza
- 1 cucharadita de miel
- 100 gramos    Frambuesas
- 150 g  Fresas silvestres

## PREPARACIÓN

Para la sopa, primero pele, lave y corte en cuartos las patatas y la raíz de perejil y pique finamente la cebolla.

Calentar la mantequilla en una cacerola grande y rehogar los trozos de cebolla. Luego agregue las papas y las raíces y saltee brevemente. Rellenar con el caldo de verduras. Cocine hasta que las patatas estén cocidas. Luego agregue la nata, la crema agria y la leche y licue finamente con una batidora de mano. Sazone al gusto con sal, pimienta y nuez moscada.

Al mismo tiempo, pela la manzana y córtala en rodajas finas. Espolvorear las rodajas con el azúcar por un lado y freírlas en una sartén caliente por el lado del azúcar y dejar que se caramelicen. Repite el proceso por el otro lado, esta vez con chile en polvo.

Luego deja enfriar las rodajas, luego córtalas en trozos finos y agrégalas a la sopa antes de servir.

Para la vinagreta, poner los aceites en una licuadora y mezclar, luego agregar los vinagres y volver a mezclar. Agrega la mostaza, la miel y las fresas y vuelve a mezclar. Finalmente agregue las frambuesas y mezcle brevemente, ya que los granos pueden amargar la vinagreta. Equilibra algo de acidez con miel según el gusto.

Lava la lechuga y la espinaca. Cortar el salmón en trozos pequeños y flamear por todos lados con un quemador. Adorne con un poco de jugo de limón y hierbas y acomode en un plato. Cubrir también la lechuga y verter la vinagreta encima.

# SOPA DE ENSALADA DE LIOS

Porciones: 3

## INGREDIENTES

- Lechuga (lechuga)
- Trocitos de cebolla
- 1 paquete    Queso crema doble o queso crema a base de hierbas
- 1 litro  caldo de pollo
- 1 pizca (s) de pimienta
- Algo de mantequilla
- Posiblemente. sal

## PREPARACIÓN

Limpiar y lavar la lechuga. Picar la cebolla y sofreír en un poco de mantequilla, añadir la lechuga y sofreír durante 1 minuto. Agregue el caldo de pollo y el queso, hierva y haga puré, sazone con pimienta y posiblemente un poco de sal.

# SOPA DE SORREL

Porciones: 4

## INGREDIENTES

- 100 gramos   Alazán
- 100 gramos   Ensalada (o espinaca)
- 50 gramos    perejil
- 50 gramos    manteca
- 100 gramos   Papa
- 500 ml caldo de pollo
- sal y pimienta
- 4 cucharadas  crema

## PREPARACIÓN

Lavar y picar las hojas de acedera, lechuga (espinaca) y
perejil. Calentar la mantequilla en una cacerola y
rehogar las hojas picadas. Pasados 5 minutos añadir las
patatas cortadas en trozos, remover bien y verter el

caldo. Sazone al gusto con sal y pimienta. Cocine por 25 minutos. Pasar por un colador grueso y volver a calentar. Incorpora la crema.

# SOPA DE ENSALADA CON PANCAKE

Porciones: 4

## INGREDIENTES

- 2 cabezas    ensalada
- 2 litros        agua
- 6 dientes de ajo)
- 250 g  tocino
- 7 huevo (s)
- 2 cucharadas Harina
- Leche
- sal
- vinagre
- yema
- 1 cucharada   crema

## PREPARACIÓN

Pon a hervir el agua con los dientes de ajo, un poco de sal y una pizca de vinagre. Lavar bien las cabezas de lechuga, cortarlas en trozos pequeños y llevar a ebullición en la sopa.

Freír el tocino cortado en cubitos. Mezclar 7 huevos, un poco de leche y sal y sofreír las tortitas pieza a pieza en la grasa de tocino. Cortar las tortitas en trozos de 2 cm y añadir a la sopa.

Mezclar la harina con la leche, agregar a la sopa, cocinar unos minutos y sazonar con crema.

Receta de la cocina de Transilvania.

# SOPA DE LECHUGA

Porciones: 4

## INGREDIENTES

- 1 cabeza    ensalada
- 300 g  Guisantes (congelados)
- 1 litro  Fondo
- 500 ml crema
- norte. B.    menta
- 4 rebanadas / n    brindis
- Grasa para freír
- 150 g  Tocino, cortado en cubitos

## PREPARACIÓN

Primero arranca las hermosas y grandes hojas
exteriores de la ensalada, límpialas y reserva. Arranca,
limpia y pica el resto de la ensalada.

Ponga el caldo y los guisantes en una cacerola. Primero descongele los guisantes a fuego lento, luego agregue la lechuga cortada y cocine a fuego lento durante unos 10 minutos.

Mientras tanto, corta el pan tostado en crutones y fríelos hasta que estén crujientes. Luego sácalo y deja el tocino crujiente. Ahora corta las hojas de lechuga que apartaste y la menta en tiras finas. Pon estos y el tocino en los platos preparados. Ahora tritura la sopa con una batidora de mano y agrega la crema (también puedes agregar la crema antes de hacer puré, luego la sopa quedará un poco más espumosa). Pon la sopa en los platos y sírvela.

La menta le da a la sopa un sabor maravillosamente fresco y la lechuga fresca en el plato tiene un aroma maravilloso, que solo tienen las hojas externas de la cabeza. El tocino lo redondea por completo y le da un ligero toque rústico.

# LECHUGA - SOPA CREMA

Porciones: 8

## INGREDIENTES

- 2 cabezas    Lechuga (lechuga)
- 3 Shallot (sustantivo)
- 150 g  manteca
- 750 ml Caldo de verduras
- 800 gramos    Queso crema fresca
- 1 caja  berro
- 2 cucharadas  Jugo de lima o jugo de limón
- sal y pimienta
- nuez moscada

## PREPARACIÓN

Cortar las chalotas en dados y sofreír aprox. 30 g de mantequilla. Lavar la lechuga, dejar los corazones de lechuga a un lado. Agrega las hojas de lechuga a las chalotas y cocina por 5 minutos. Rellenar con caldo y llevar a ebullición. A continuación, haga puré con la batidora, agregue la crema fresca, sazone con sal y cocine a fuego lento durante 10 minutos. Corta los corazones de lechuga en tiras.

Retirar la sopa del fuego y batir el resto de la mantequilla fría en trozos por debajo. Sazone con jugo de limón, sal, pimienta y nuez moscada, agregue los corazones de lechuga y espolvoree la sopa con berros antes de servir.

# SOPA DE ENSALADA CON TOCINO

Porciones: 4

## INGREDIENTES

- 150 g  Tocino ahumado
- Aceite (aceite de oliva)
- 8 dedos del pie / n   ajo
- 3 cabezas     Ensalada, pequeña, cortada en tiritas
- 1 ½ taza / n de queso crema fresca
- 3 huevo (s), incluida la yema
- 1 manojo     eneldo
- 1 pizca (s) de azúcar
- sal y pimienta

## PREPARACIÓN

Freír el tocino cortado en cubitos en el aceite de oliva hasta que esté crujiente. Luego agregue el ajo machacado y las tiras de lechuga. Tan pronto como la lechuga se haya derrumbado, agregue aprox. 400-450 ml de agua (o más, si lo quieres más diluido). Mezclar la crema fresca con las yemas de huevo y verter sobre la ensalada. Llevar nuevamente a ebullición brevemente a fuego lento. Sazone la sopa con eneldo finamente picado, azúcar, sal y pimienta. Adorne con unos cubos de pan blanco tostado o sirva con baguette fresco.

# SOPA DE ENSALADA RUMANA

Porciones: 4

## INGREDIENTES

- 2 cabezas    ensalada
- 1 taza  Leche (aprox.200 ml)
- 3 dedos del pie / n    ajo
- 2        Huevos)
- 250 ml crema
- 2 cucharadas vinagre
- 300 ml agua
- pimienta
- petróleo
- sal

## PREPARACIÓN

Lave y pique la lechuga en trozos grandes, luego fría los trozos de lechuga en una cacerola con aceite caliente durante unos 5 minutos. Luego agregue la leche y el agua y cocine a fuego lento durante 15 minutos. Pelar los dientes de ajo, picarlos finamente (presionando también funciona) y agregar. Separe las yemas y las claras de los huevos (use las claras en otro lugar). Luego mezcle las yemas de huevo con la nata, el vinagre, la sal y la pimienta y agregue a la cacerola. Ahora deja que la sopa hierva a fuego lento durante otros 5 minutos y sazona con vinagre, sal y pimienta, según tu gusto. Luego sirva.

# SOPA DE ENSALADA FRÍA CON DUMPLINGS

Porciones: 4

## INGREDIENTES

- 300 g Lechuga (lechuga)
- 2 cucharadas aceite de oliva
- 750 ml Caldo de verduras
- 100 gramos crema
- ½ traste cebollín
- 1 manojo rábano
- 4 tallos albahaca
- Jugo de limon
- 200 g Queso crema doble
- 1 cucharada Queso crema fresca

## PREPARACIÓN

Limpiar la lechuga y escurrir bien. Corta 3 hojas en tiras finas y reserva, corta aproximadamente el resto.
Calentar el aceite en una cacerola y sofreír la ensalada. Verter el caldo y llevar a ebullición. Arranca la albahaca de los tallos y agrega la mitad al caldo. Tritura finamente la sopa, refina con la nata y sazona con sal y pimienta. Deje que la sopa se enfríe y luego enfríe.

Mientras tanto, mezcle el queso crema, la crema fresca y el jugo de limón, sazone con sal y pimienta y guarde en un lugar fresco.

Cortar los rábanos en palitos finos y las cebolletas en rollitos. Agrega las tiras de lechuga y la albahaca restantes a la sopa fría.

Forma pequeñas albóndigas con el queso crema con ayuda de 2 cucharaditas.

Acomoda la sopa en tazones, agrega las albóndigas y espolvorea con cebollino y tiras de rábano.

# SOPA DE ENSALADA DE ELKE

Porciones: 4

## INGREDIENTES

- 1 grande    Lechuga (lechuga)
- Cebolla
- 1 cucharada   manteca
- 500 ml Caldo de verduras
- 250 ml Leche
- 1 pizca (s)    nuez moscada
- 1 pizca (s)    pimienta de cayena
- sal
- Pimienta blanca
- 1 taza  Crema batida
- 4 yemas de huevo
- 3 rebanadas / n de pan (comida integral)
- Dientes de ajo)
- 1 cucharada   manteca

## PREPARACIÓN

Limpiar, lavar y escurrir la lechuga. Cortar las hojas de corazón en tiras finas y reservar. Escaldar las hojas verdes con agua hirviendo ligeramente salada, enfriar inmediatamente en agua fría y escurrir. Pelar y picar la cebolla.

Calentar la mantequilla y rehogar la cebolla hasta que esté transparente. Cortar las hojas de lechuga enfriadas en tiras finas, agregar a la cebolla y sofreír brevemente. Vierta el caldo de verduras caliente y la leche y deje hervir brevemente, sazone con sal, pimienta, nuez moscada y pimienta de cayena. Tritura todo con la licuadora. Mezclar la nata con la yema de huevo y ligar la sopa con ella, retirar del fuego, no dejar que vuelva a hervir.


Cortar el pan integral en dados finos, frotar una sartén rebozada con el diente de ajo y dejar la mantequilla. Ase los cubos de pan hasta que estén dorados.

Colocar la sopa de ensalada en platos precalentados, espolvorear con los cubitos de pan y las hojas de corazón finamente picadas y servir.

# COMFREY - SOPA DE HIERBAS

Porciones: 4

## INGREDIENTES

- 3 cebollas, finamente picadas y 4 hojas frescas de consuelda (consuelda)
- 50 gramos    manteca
- 1 rama / s    Estragón, más fresco
- Cuarto Caldo de verduras
- ½ taza / n de crema
- 1 lechuga más pequeña (lechuga)
- 4 hojas    Consuelda - 6 hojas, (hojas de consuelda)
- 3 tallos    perejil

## PREPARACIÓN

Deje que todos los ingredientes (excepto la ensalada) hiervan brevemente y luego haga puré en una licuadora, incluida la ensalada. Vierta toda la mezcla en la cacerola, agregue la crema, caliente nuevamente y sazone al gusto.

Puedes usar un poco menos de mantequilla y reemplazar la nata con leche con 1,5% de grasa.

# SOPA DE GUISES VERDES

Porciones: 4

## INGREDIENTES

- 3 Onion (sustantivo)
- 1 cabeza    ensalada
- 1 manojo    Perejil, suave
- 500 g  Guisantes, congelados
- 3 cucharadas manteca
- 3 cucharadas aceite de oliva
- 1 ½ litro    Caldo de pollo, casero o instantáneo
- sal
- Pimienta negra recién molida
- ½ cucharada   Pimentón en polvo, suave o picante

## PREPARACIÓN

Pelar las cebollas y picarlas finamente. Lavar y limpiar la lechuga y cortarla en tiritas. Lavar el perejil y agitar para secar.

Calentar la mantequilla y el aceite en una cacerola. Agrega las cebollas y sofríe, agrega las verduras restantes y 350 g de guisantes. Guisar durante 5 minutos. Vierta el caldo y cocine tapado durante unos 20 minutos. Pica todo con el robot de cocina. Agregue los guisantes restantes y cocine por otros 10 minutos.

Sazone al gusto con sal y pimienta. Sirva con pan plano.

# MINESTRA DI LATTUGA

Se

Porciones: 6

## INGREDIENTES

- 50 g de mantequilla
- 1 m. De grande      Cebolla (s) finamente picada
- 3 m. De grande      Patata (s), finamente picada
- 1 litro  caldo de pollo
- 1 cabeza      Ensalada, lavada y picada
- 1 manojo      Perifollo, picado
- 150 ml crema
- sal y pimienta
- Cebollino, perifollo picado y perifollo para decorar

## PREPARACIÓN

Derretir la mantequilla en una cacerola y rehogar las cebollas y las patatas. Tape y cocine al vapor a fuego lento durante unos 20 minutos. Desglasar con el caldo de pollo, llevar a ebullición y añadir la lechuga y el perifollo. Dejar hervir unos minutos y pasar por un colador (o "Flotte Lotte"). Calienta la sopa nuevamente y agrega la crema. Sazone con sal y pimienta y espolvoree con cebollino picado y perifollo.

# SOPA DE ENDIVE TÖGINGER

Porciones: 2

## INGREDIENTES

- 1 cabeza    Lechuga (ensalada de endivias), las hojas verdes
- Cebolla (s), cortada en rodajas finas
- 1 cucharada  Mantequilla clarificada
- Diente (s) de ajo, finamente picado o rallado
- 1 cucharada  Harina
- 500 ml Sopa de carne
- $\frac{1}{2}$ cucharada  polvo de curry
- sal y pimienta
- 1 disparo    crema

## PREPARACIÓN

Calentar la mantequilla clarificada y sofreír lentamente las cebollas y los ajos hasta que estén traslúcidos, añadir la ensalada de endivias finamente picadas y dejar que se desmorone. Espolvoree con harina y agregue el caldo mientras revuelve con cuidado.

Cocine a fuego lento durante 10 minutos y sazone con curry, pimienta y sal. Refina con crema.

# SOPA DE ENSALADA FINA CON SALMÓN AHUMADO

Porciones: 4

## INGREDIENTES

- 2 cebollas, finamente picadas
- 2 cucharadas manteca
- 4 cucharadas avena
- 400 g Ensalada (lechuga, de lo contrario lechuga iceberg o escarola)
- 1 litro Caldo de verduras
- Tapas de nabo
- Jugo de limon
- sal y pimienta
- pimienta de cayena
- nuez moscada
- 60 g crema agria

- 200 g  Salmón ahumado cortado en tiras del tamaño de un bocado
- 4 cucharadas Eneldo picado

## PREPARACIÓN

Limpiar la lechuga y cortarla en tiritas. Rehogar las cebollas en mantequilla hasta que estén transparentes. Agrega la avena y deja que sude con ella. Agrega la ensalada. Después de remover continuamente durante 1-2 minutos, vierta el caldo de verduras y hierva todo. Sazone bien con jugo de limón, grelos, pimienta, pimienta de cayena y nuez moscada.

Triturar la sopa, calentar de nuevo, incorporar la nata y volver a sazonar al gusto. Mezclar el salmón con el eneldo. Sirve la sopa y espolvorea con salmón y eneldo.

# GAZPACHO DE AGUACATE CON LANGOSTINOS

Porciones: 4

## INGREDIENTES

- 2 aguacate (s)
- Pimiento (s), verde
- Pepino
- Cebollas de primavera)
- Dientes de ajo)
- 4 cucharadas aceite de oliva
- 1 cucharada   Vinagre de jerez
- 1 vaso  agua
- Limones)
- sal y pimienta
- 12°    Camarones, pelados
- Ensalada, mixta

- Tomates)
- 1 cucharadita de vinagre balsámico de Crema di
- aceite de oliva
- 10 hojas de albahaca
- 1 dl de aceite de oliva

## PREPARACIÓN

Para el gazpacho, pelar, lavar y picar el pepino, exprimir el limón. Lavar los pimientos, ahuecarlos y cortarlos en cubos medianos. Cortar los aguacates por la mitad, quitarles las semillas y pelarlos. Rocíe la pulpa de los aguacates con jugo de limón para evitar la oxidación. Lavar las cebolletas, pelar los ajos y hacer puré con el aguacate, el pepino y el pimiento morrón en una licuadora. Agregue vinagre, aceite y aprox. Un vaso de agua para crear una crema homogénea. Sazone al gusto con sal y pimienta. Conservar en un recipiente cerrado en el frigorífico.

Para el aceite aromático, lavar las hojas de albahaca, secarlas con papel de cocina y picarlas finamente. Mezclar bien con el aceite.

Lavar los tomates y cortarlos en forma de cruz por el tallo. Escaldar en una sartén con un poco de agua con sal durante 2 minutos. Enjuagar con agua fría, pelar y cortar en rodajas no demasiado gruesas. Lavar las gambas y secarlas con toallas de papel.

Calentar un poco de aceite en una sartén antiadherente, sofreír las gambas durante un minuto hasta que cambien ligeramente de color. Retirar y sazonar con sal y pimienta. Lava la lechuga.

Dividir el gazpacho en cuatro cuencos o platos hondos y colocar encima los tomates, las gambas y la lechuga. Rociar con unas gotas de crema balsámica y el aceite de albahaca. Servir inmediatamente.

También se puede utilizar surimi en lugar de las gambas.

# VERDURAS - SOPA DE FIDEOS

Porciones: 1

## INGREDIENTES

- 20 g de fideos (fideos de sopa)
- Agua salada
- ½ cucharada  petróleo
- 1 dedo del pie / n    Ajo picado
- 300 ml Caldo, granos
- 50 g Zanahoria (s), en rodajas
- 50 g de brócoli, cortado en floretes
- Cebolleta (s), cortada en aros
- 2 hojas       Lechuga (lechuga), cortada en tiras
- 1 cucharadita de salsa de soja
- Algo chili

## PREPARACIÓN

Cuece la pasta en agua hirviendo con sal hasta que esté al dente, escurre y escurre. Calentar el aceite en una olla. Freír el diente de ajo picado. Vierta el caldo granulado y deje hervir.

Agregue las rodajas de zanahoria y los floretes de brócoli, cocine a fuego lento durante 7 minutos. Agregue la cebolleta, las tiras de lechuga y los fideos para sopa y caliéntelos. Sazone con salsa de soja y agregue ají al gusto.

# SOPA MISO CON JENGIBRE

Porciones: 2

## INGREDIENTES

- 2 cucharadas Ensalada de algas (orgánica) o seca, picada
- 10 g    Dashi (Dashino-Moto) o condimento de hojuelas de atún
- 1 litro  agua
- 4 gotas      aceite de sésamo
- 1 puñado     Jengibre, pelado y cortado en cubitos
- ½ traste     Fideos (Somen) o Arroz
- 100 gramos   Tofu, natural
- 3 cucharadas Pasta de soja, ligera (Shiro Miso)
- 1 pizca (s)  Mezcla de especias (Shichimi Togarashi - mezcla de especias de chile, sésamo, algas, cáscara de naranja)

## PREPARACIÓN

Primero, deje que las algas se remojen en agua durante unos 5 minutos. Lo mejor es cambiar el agua de 2 a 3 veces y no volver a usarla.

Hervir el Dashino-Moto en un litro de agua, rebozar con un poco de aceite de sésamo y añadir el jengibre. A continuación, escurrimos las algas y las añadimos a la olla como los somen, para que ambas se cocinen durante unos 2 minutos. Mientras tanto, corte el tofu en cubos y colóquelos en la olla.

Ahora simplemente reduzca el fuego, agregue la pasta de soja y sazone con una pizca de Shichimi Togarashi, esto une maravillosamente el calor afrutado del jengibre con el caldo.

Los fideos también se pueden reemplazar con una taza de arroz ya cocido o la sopa se puede servir sin relleno.


Importante: La pasta de miso no debe hervir, de lo contrario perderá su aroma.

# SOPA DE ENSALADA CON QUESO

Porciones: 2

## INGREDIENTES

- 2 m. De cebolleta grande (sustantivo)
- 50 gramos    manteca
- 400 ml Caldo de verduras
- 3 m. De papa grande
- 1 grande    Zanahoria
- 2 dientes de ajo)
- 1 manojo    Hierbas, mezcladas (lo que tiene actualmente el jardín)
- 400 g Ensalada: hojas de su elección, pero también hojas de colinabo
- ½ cucharada de sal
- 1 pizca (s) de pimienta del molinillo

- 120 g de queso, posiblemente restos de queso
- 1 disparo      crema
- 2 Cabanossi, alternativamente, en lugar del queso
- 1 barra / n puerros, posiblemente como sustituto de la cebolla

## PREPARACIÓN

Pele las cebollas y agregue las hojas verdes a las hierbas. Luego picar las cebollas y sudarlas en la mantequilla. Corta los dientes de ajo en rodajas pequeñas y agrégalos. Cuando todo esté ligeramente dorado, desglasar con el caldo de verduras y llevar a ebullición.

Mientras tanto, pelar las patatas y las zanahorias, cortarlas en trozos y añadirlas. Pica las hierbas de la huerta y la cebolla (si no hay cebolla disponible, una pequeña barra de puerro servirá) y agrégalas también a la olla. Deje que todo hierva a fuego lento durante unos 15 a 20 minutos. Lave las hojas de lechuga mezcladas con agua corriente, córtelas en trozos pequeños y luego agréguelas a la sopa. Llevar todo a ebullición de nuevo durante aprox. 3 minutos. Luego haga puré con una batidora de mano. Sazone al gusto con sal y pimienta. Cortar el queso en trozos pequeños (sería mejor rallarlo) y disolverlo en la sopa. Finalmente refinar con una pizca de crema.

El resultado es una sopa cremosa, abundante y de gran sabor. Si no quiere prescindir de la carne, puede omitir el queso y agregar Cabanossis a la sopa.

Nota:

Si la sopa se va a servir como entrante, las cantidades son suficientes para el doble de personas.

# SOPA DE CALABAZA CON MANZANAS, ZANAHORIAS Y CURRY

Porciones: 4

## INGREDIENTES

- Calabaza (se) (Hokkaido), sin hueso, cortada en cubitos; por separado 2 cucharadas finamente picadas
- Chalota (s), cortada en cubitos
- 60 g   Raíz de jengibre, cortada en cubitos
- Manzanas, en cuartos, sin hueso, cortadas en trozos grandes, p. Ej. Braeburn
- 4 Zanahoria (s), cortadas en trozos grandes; por separado 2 cucharadas finamente picadas
- 150 g   manteca

- 4 cucharadas polvo de curry
- 800 ml caldo de ave
- 400 ml crema
- 2 cucharadas de té   sal marina
- 2 cucharadas Queso crema fresca
- 4 cucharadas Semillas, mezcla para ensaladas o pipas de calabaza, tostadas en seco
- 4 cucharadas Aceite de semilla de calabaza, al gusto

## PREPARACIÓN

Deja 120 g de mantequilla en una cacerola. Sofría las chalotas, el ajo, la calabaza, las manzanas y las zanahorias. Esparcir curry en polvo encima, desglasar con caldo de ave y crema y cocinar a fuego lento durante unos 20 minutos hasta que los depósitos estén suaves. Haga puré la sopa, vuelva a calentar y sazone con sal y crema fresca.


Calentar el resto de la mantequilla en una sartén. Cocine al vapor los cubos de calabaza y zanahoria hasta que estén firmes al morder, sin que se pongan de color.

Extienda la sopa de calabaza en platos o tazas, coloque las verduras cortadas en cubitos en el medio y espolvoree con las semillas de calabaza o la mezcla de semillas. Rocíe con aceite de semilla de calabaza si lo desea.

# SOLYANKA CON SAUERKRAUT

Porciones: 24

## INGREDIENTES

- 1.300 g    Pepino (s) en escabeche, pepino con eneldo salado
- 1.360 g    Letscho, húngaro Lecsó (de la copa)
- 1.300 g    Pimientos tomates (del frasco)
- Para la ensalada: ensalada de puszta (del vaso)
- 400 g  Tomate (s), pasando (de la lata)
- 1,620 g    Chucrut (enlatado), Mildessa
- 1 tubo / n de pasta de tomate
- 1 paquete Salchicha, mini cabanossi (snack de fiesta)
- 750 g  Cerdo ahumado, tirado (deshuesado)
- 750 g  carne de vaca
- 750 g  carne de cerdo

- 1 anillo / e    Salchicha de carne
- 2 cucharadas de té   alcaparras
- 1 manojo       eneldo
- 1 manojo       perejil
- 3 limón (s), de los cuales el jugo
- 12 Onion (sustantivo)
- 6 dientes de ajo)
- 3 litros       Caldo de carne, preferiblemente autococido
- 3 tazas       Crema agria, para servir
- Mantequilla clarificada, para freír

## PREPARACIÓN

Cortar los tres tipos de carne y la salchicha de carne en dados pequeños (1 cm) y freírlos uno tras otro en una sartén hasta que estén ligeramente dorados.

Vierta los pepinos (asegúrese de recoger el agua de pepino), córtelos en trozos pequeños y saltee en una sartén. Pon la carne y el pepino en la cacerola, así como el agua de pepino (!). Ahora agregue los pimientos jitomates, el letscho, la ensalada de puszta, los tomates y el chucrut uno tras otro. No vierta los vasos / latas, asegúrese de agregar el jugo. Rellenar con el caldo de carne y dejar hervir lentamente a fuego lento (cocina eléctrica: nivel 4). Corta a la mitad o en cuartos el mini Cabanossi, según tu gusto, y agrega, así como todo el tubo de pasta de tomate. Condimentar con el perejil finamente picado, el eneldo y el ajo (molinillo de hierbas) y con el jugo de limón y las alcaparras. No sazonar al gusto, dejar reposar durante 2 horas (cocina eléctrica: nivel 2) y luego, preferiblemente, dejar reposar durante la noche.

Sirve en el plato con una cucharada de crema agria.

Si lo desea, puede cortar los 3 limones en rodajas y cocinarlos por la mitad en lugar de exprimir el jugo. Se puede adornar con perejil y / o eneldo.

# ENSALADA DE ROCKET CON PERA Y CASTAÑAS

Porciones: 4

**INGREDIENTES**

ensalada

- 4 grandes puños de rúcula
- 150-200 g de castañas (completamente cocidas)
- 1 cebolla pequeña (unos 50 g)
- 4 a 6 cucharadas de nueces pecanas
- 1 pera grande y jugosa
- Aceite de oliva para freír

vendaje

- 4 cucharadas de aceite de cártamo (o aceite de girasol)

- 2 cucharadas de vinagre balsámico
- 1-2 cucharaditas de jarabe de arce
- 1 cucharadita de vinagre Djone
- Sal pimienta

## PREPARACIÓN

ensalada

Lavar la rúcula y cortarla en trozos pequeños. Cortar la cebolla por la mitad y cortarla en aros muy finos. Guisar las castañas y las cebollas en una cazuela grande con un poco de aceite de oliva hasta que se doren. Corta la pera en trozos pequeños.

vendaje

Batir todos los ingredientes con una varilla de nieve pequeña hasta que quede cremoso.


Final

Mezclar la rúcula con el aderezo. Disponer la ensalada en 4 platos y espolvorear con las castañas de cebolla, los trozos de pera y las nueces.

Consejo

Puede usar nueces en lugar de nueces. Cortar por la mitad o en trozos pequeños.

# ENSALADA DE VERDURAS DE RAÍZ CON ADEREZO DE NARANJA

Porciones: 4

## INGREDIENTES

- 300 g de zanahorias (clásicas y moradas)
- 200 g de raíz de perejil y chirivía
- 2 cucharadas de aceite de oliva
- 1 cucharadita de azúcar morena
- 2-3 cucharadas de avellanas
- 3 cucharadas de jugo de naranja (recién exprimido)
- 1 cucharadita de jugo de limón.
- 1 cucharadita de sirope de arce
- 1 cucharada de vinagre balsámico blanco

- 3 cucharadas de aceite de girasol (prensado en frío)
- sal
- opcional: parmesano joven rallado / grana

## PREPARACIÓN

Pele los tubérculos y córtelos en trozos del tamaño de una boca. Calentar el aceite de oliva en una cazuela espesa, agregar el azúcar y las verduras cortadas, sazonar con sal y guisar a temperatura media durante 20 a 25 minutos. Las verduras deben mantenerse firmes al picar. Revuelva una y otra vez en el medio. Para el aderezo, mezcle un poco de sal con el jugo de limón y naranja y el vinagre, luego agregue el jarabe de arce y el aceite. Batir todo junto hasta que la mezcla emulsione. Vierta sobre las verduras cocidas. Esparcir las avellanas picadas y tostadas encima. Si lo desea, puede cortar un poco de queso parmesano joven encima. Pero sabe muy bien incluso sin él. Sirve tibio y con un poco de pan blanco.

inclinar

Dependiendo de la cantidad de tubérculo que tome, debe dosificar la cantidad de jugo de limón para que no se vuelva demasiado dulce.

# SOPA DE TOMATE Y LENTEJAS

Porciones: 4

## INGREDIENTES

- 3 cucharadas de aceite de oliva
- 1 cebolla amarilla pequeña
- 100 g de lentejas rojas
- 1 zanahoria (aprox.100 g)
- 300 ml - 400 ml de caldo de verduras (o agua)
- 200 g de tomate triturado
- chile
- sal
- Jugo de limon
- Aceite de oliva para servir

## PREPARACIÓN

Calentar el aceite de oliva y asar ligeramente la cebolla finamente picada. Verter 300 ml de sopa encima y añadir las lentejas bien lavadas. Cocine a fuego lento durante unos 15 a 20 minutos a temperatura media. Agrega la guindilla y la sal. Luego agregue los tomates y la zanahoria pelada cortada en trozos pequeños. Deje que los tomates hiervan durante otros 15 a 20 minutos, agregue un poco de sopa o agua si es necesario. Luego mezcle finamente con la batidora de mano y sazone al gusto. Antes de servir, agregue de 1 a 2 cucharadas de jugo de limón a la sopa. Servir con unas gotas de aceite de oliva afrutado si es necesario.

Consejo

La sopa se puede preparar el día anterior sin pérdida de calidad. Así que la sopa ideal para comer en la oficina.

# SOPA DE GUISANTES

Porciones: 4

## INGREDIENTES

masa

- 1 cebolla amarilla mediana
- 150 g de patata harinosa
- 180 g de guisantes frescos o congelados
- 1 cucharada de mantequilla
- 750 ml de agua
- Sal, pimienta y guindilla
- 100 ml de nata montada
- salchichas Frankfurter (vienesas) opcionales

## PREPARACIÓN

Pica finamente la cebolla y ásala hasta que se dore en la mantequilla, luego agrega las papas peladas y cortadas en cubitos. Vierta agua, agregue las especias y cocine a fuego medio durante unos 15 a 20 minutos. Hasta que las papas estén blandas, luego agregue los guisantes y la crema batida. Cocine por otros 5 minutos, sazone nuevamente al gusto. Tan pronto como las verduras estén blandas, mézclelas con la batidora de mano.

Consejo

Si cortas un par de Frankfurter Würstl en la sopa, también harás feliz al tigre de carne. Yo siempre frito las salchichas picadas en un poco de mantequilla, luego saben aún mejor.

# ENSALADA DE PRIMAVERA CON PESCADO AHUMADO Y CREMA DE MOSTAZA

Porciones: 4

## INGREDIENTES

- 1 lechuga
- unos 6 rábanos
- 200 g de trucha ahumada o carbón
- Mariande
- 2 cucharadas de aceite de oliva
- 1 cucharada de jugo de limón
- sal
- Crema de mostaza
- 3 cucharadas de aceite de oliva
- 2-3 cucharadas de jugo de limón

- 2 cucharadas de crema fresca
- 2 cucharaditas de mostaza de Dijon
- 2 cucharadas de perejil picado
- Sal pimienta
- posiblemente 1 trago de agua caliente

## PREPARACIÓN

Lavar la lechuga y cortar las hojas del tamaño de un bocado. Corta los rábanos en rodajas. Para la crema de mostaza, mezcla bien el jugo de limón, la mostaza y la sal y luego mezcla el aceite con un batidor pequeño hasta que emulsione. Agregue la crema fresca, el perejil y la pimienta. La crema debe tener una consistencia espesa. Si es necesario, puede agregar muy poca agua caliente. Primero mezcla la ensalada con la marinada de jugo de limón, aceite de oliva y sal y distribúyelo en los platos. Luego viene el pescado ahumado, deshuesado en trozos pequeños y los rábanos encima. Finalmente, esparce la crema de mostaza sobre la ensalada. Una barra de pan y una copa de Grüner Veltliner van muy bien con esto.

Consejo

Si lo desea, también puede agregar rodajas finas pepino sin pelar, que además armoniza muy bien.

# ENSALADA DE VERANO CON CHANTERELLES Y PAPRIKA

Porciones: 4

## INGREDIENTES

- ensalada
- 250 g de rebozuelos frescos (rebozuelos)
- 1 pimiento rojo puntiagudo
- 1 lechuga pequeña
- 1 cucharada de aceite de oliva
- 1 cucharada de vinagre balsámico de vino blanco
- Mantequilla para asar
- Sal pimienta
- Mayonesa de chile
- 1 yema de huevo
- 1-2 cucharaditas de mostaza picante
- Sal y chile

- 2 cucharaditas de jugo de limón
- 1/8 L de aceite de maíz o girasol
- 2 cl de nata montada
- 1 chorrito de agua caliente

## PREPARACIÓN

ensalada

Lavar la lechuga y limpiar los rebozuelos, si es necesario, enjuagar rápidamente con agua corriente. Cortar el pimiento morrón en cubos muy pequeños y dividir los champiñones en trozos del tamaño de la boca según sea necesario. Calentar 1 cucharada de mantequilla en una sartén y asar los champiñones durante unos minutos hasta que no salga más agua, luego sazonar con sal y pimienta. Derretir un trozo de mantequilla en otra sartén y asar los pimientos cortados en cubitos durante unos minutos hasta que estén blandos. Antes de servir, marinar ligeramente la lechuga con un poco de adobo de aceite de oliva, vinagre balsámico y un poco de sal. Solo entonces hacer los rebozuelos fritos, el pimentón cortado en cubitos y finalmente la mayonesa de chile por encima.

Mayonesa de chile

Todos los ingredientes deben estar a temperatura ambiente para que la mayonesa no se cuaje. Mezcle las yemas con jugo de limón, mostaza, sal y chile, vierta lentamente el aceite y mezcle; tan pronto como la mayonesa se espese, estará lista, sazone nuevamente.

Diluir con nata montada líquida y un poco de agua
caliente para hacer una salsa para ensalada.


inclinar

Cuando se trata de pimientos, yo siempre uso pimientos
puntiagudos, tienen una piel mucho más fina y no hay que
pelarlos.

# CREMA DE SOPA DE ESPINACAS CON HUEVO POCHADO

Porciones: 4

## INGREDIENTES

- 350 g de espinacas frescas
- 1 cebolla amarilla pequeña
- 1 cucharada de harina de trigo
- 1 cucharada de mantequilla
- 1/8 l de agua
- 1/2 l de leche
- 1 chupito de nata montada
- Sal y pimienta blanca
- nuez moscada
- 2 dientes de ajo

- 4 huevos

## PREPARACIÓN

Picar la cebolla muy finamente y tostarla en la mantequilla hasta que se dore. Luego se agrega la harina. También debería tomar algo de color. Remueve bien con un batidor para que no se formen grumos, vierte poco a poco el agua y luego la leche. Solo entonces las espinacas limpias, lavadas y picadas en trozos grandes entran en la sopa. Agrega la sal y el ajo finamente picado. Cocine a fuego lento durante unos minutos a temperatura media hasta que la espinaca se haya derrumbado y las hojas estén blandas. Esto tarda unos 10 minutos. Sazone con pimienta y nuez moscada recién rallada. Retire del fuego y mezcle la sopa con la batidora de mano hasta que esté cremosa. Condimentar nuevamente con todas las especias y, según la cremosidad deseada, agregar una pizca o dos de crema batida.

Huevos escalfados

Forre una taza de café para cada huevo con un gran trozo de film transparente. Debe haber 15 cm de película a cada lado sobre el borde. Unte la taza forrada con 3 gotas de aceite neutro. Luego ponga un huevo roto en cada una de las tazas. Ahora ate los dos extremos del papel de aluminio. No deben quedar burbujas de aire en el saco de fabricación propia. Llevar a ebullición una cacerola pequeña con abundante agua. Tan pronto como el agua hierva, retírala del plato caliente e inserta el huevo. El huevo tarda 3 minutos. Durante este tiempo, la proteína debe asentarse. Luego saca el huevo y corta con cuidado el nudo con unas tijeras y saca el huevo del papel de aluminio. Lo mejor es deslizarlo directamente en la sopa.

inclinar

También puedes hacer esta sopa con acelgas

# SOPA DE VERDURAS CLARA CON CORTES CRUJIENTES DE LA COCINA SOBRANTE

Porciones: 4

### INGREDIENTES

- 2 cebollas medianas
- 300 g de zanahorias (y remolacha amarilla)
- 100 g de apio
- 100 g de puerros
- 2 tomates secos o 1 tomate fresco
- 2 litros de agua
- 2 cucharaditas de sal
- 1 cucharadita de alcaravea triturada o polvo de alcaravea
- 15 a 20 granos de pimienta negra

- 2 hojas de laurel
- 1/2 manojo de perejil
- salsa de soja
- Cortes crujientes
- 150 g de pan blanco duro
- 2 huevos medianos
- 2 cucharadas de crema batida o leche
- sal
- Aceite de girasol para freír
- cebollín

## PREPARACIÓN

Sopa

Cortar la cebolla por la mitad con la piel y dorar en una cacerola grande sin grasa, solo luego agregar agua. Luego se agregan las verduras limpias y cortadas en trozos grandes (excepto el perejil) y las especias. Cocine a fuego lento todo a temperatura media con la tapa medio cerrada durante 1 a 1 1/2 horas. Agrega el perejil 15 minutos antes de que finalice el tiempo de cocción. Después de la cocción, las verduras quedan muy blandas. Lo mejor es exprimir bien las verduras a través de un colador para que no se pierda el sabor. Puede redondear la sopa con una pizca de salsa de soja.

Cortes crujientes

Corta el pan blanco en trozos pequeños. Batir los huevos con la nata montada y añadir un poco de sal. Sumerge el pan en la mezcla de huevo. Ponga suficiente aceite de girasol en una sartén para cubrir el fondo. Freír las rebanadas de pan mojadas en la grasa caliente hasta que estén doradas por ambos lados. Escurrir sobre papel de cocina y añadir a la sopa aún caliente. Sirve espolvoreado con cebollino.

inclinar

Puede variar las verduras según la temporada. La raíz de perejil o el apio también saben bien. También puedes reducir aún más la sopa, por lo que obtienes un caldo de verduras intensivo con el que también puedes hacer salsas finas.

# SOPA DE CREMA DE PATATAS CON SALMÓN STREMEL

Porciones: 4

## INGREDIENTES

- 1 cebolla amarilla mediana
- 500 g de patatas harinosas
- 1 cucharada de mantequilla
- 1 pizca de vinagre balsámico blanco
- 1 litro de agua o sopa de verduras clara
- 1 hoja de laurel
- 1 pizca de semillas de alcaravea molidas
- Sal y pimienta blanca
- 1/8 l de crema agria
- 100 g de salmón stremel
- perejil

## PREPARACIÓN

Pelar las patatas y cortarlas en cubos. Picar finamente la cebolla y dorarla en mantequilla, añadir los trozos de patata y asar brevemente. Apagar con una pizca de vinagre. Vierta agua o sopa encima. Agregue sal, pimienta y las especias restantes a la sopa. Cocine a fuego medio hasta que las patatas estén tiernas. A continuación, haga puré las patatas con un machacador de patatas. Agregue la crema agria y sazone al gusto nuevamente. Sirve con un poco de perejil picado y un trozo de stremel de salmón como guarnición.

### Consejo

También puede presionar las patatas cocidas a través de una prensa de patatas. Debes evitar la batidora de mano o la licuadora. Desafortunadamente, sucede muy rápidamente que la consistencia de las papas se vuelve como una pasta.

# SOPA DE CEBOLLA CON CRUJES DE QUESO

Porciones: 4

## INGREDIENTES

Sopa

- 350 g de cebolla amarilla
- 3 cucharadas de mantequilla
- 2 cucharadas de harina
- Sal pimienta
- 2 hojas de laurel
- 1 diente
- 1, 2 l de sopa de ternera o agua
- 1 trago de coñac
- Costras de queso

- 80 g de queso de montaña u otro queso duro fuerte
- 8 rebanadas pequeñas de baguette

## PREPARACIÓN

Pelar las cebollas, cortarlas por la mitad y cortarlas en aros muy finos. Tostar en la mantequilla a temperatura media durante 10 minutos. Luego espolvorear con la harina, continuar tostando hasta que la harina esté lo más oscura posible. Solo entonces agregue sopa o agua. Sal y pimienta según sea necesario (ya sea sopa o agua). Luego agregue laurel y clavel. Cocine a fuego lento durante unos 30 minutos. Antes de servir, refina la sopa con una pizca de coñac.

## BROCHES DE QUESO

Rallar finamente el queso de montaña y esparcirlo sobre rebanadas de baguette ligeramente tostadas. Horneado a 200 grados en el riel superior en el horno durante unos minutos hasta que el queso se derrita. Coloque las costras de queso encima de la sopa caliente antes de servir.

## Consejo

Si no tienes coñac en casa, también puedes perfumar la sopa con un jerez seco. En lugar de pan blanco, también se puede usar pan negro para las croquetas de queso.

# ENSALADA DE ARENQUE VIENÉS

Porciones: 4

## INGREDIENTES

Ensalada de arenque

- 300 g de patatas cerosas
- 350 g de arenque Bismarck en escabeche
- 150 g de filetes de arenque
- 4-5 cucharadas de cebolla picada de la marinada de arenque o una cebolla pequeña fresca
- 150 g de manzana ácida (1 manzana mediana)
- 1 cucharadita de jugo de limón.
- unos 200 g de judías blancas cocidas
- 3-4 encurtidos agridulces de tamaño mediano
- 2 cucharadas de alcaparras

- 1 filete de anchoa
- Pimienta (posiblemente sal)

Mayonesa

- 1 yema
- 1/8 l de aceite de girasol
- Sal pimienta
- 1-2 cucharaditas de mostaza estragón
- 1 cucharadita de vinagre de estragón o jugo de limón
- 1/8 l de crema agria

Colocar

- 4 puños de lechuga de cordero
- 2 cucharadas de vinagre de vino
- 2 cucharadas de aceite de girasol
- 2 huevos duros
- Sal pimienta

## PREPARACIÓN

Ensalada de arenque

Hervir las patatas con piel y dejar enfriar. Pelar y cortar en cubos pequeños junto con el pescado. Pelar la manzana y quitarle el corazón, rociar con un poco de zumo de limón para que no se ponga marrón y también cortar en trozos pequeños. Mezclar el pescado, las patatas, los trozos de manzana, las judías blancas y la cebolla finamente picada. A continuación, picar finamente las alcaparras, los encurtidos y el filete de anchoa y añadir a la ensalada.

## Mayonesa

Para la mayonesa, mezcle la yema tibia con las especias. Luego agregue el aceite a temperatura ambiente gota a gota con la batidora. Cuando la mayonesa cuaje, aumente el flujo de aceite. Mezclar con la crema agria y agregar a la ensalada de arenque. Es mejor poner la ensalada de arenque terminada en el refrigerador durante la noche y volver a sazonar al gusto antes de servir.

## Colocar

Saca la ensalada de arenque del frigorífico media hora antes de servir para que no esté demasiado fría. Mezclar la lechuga de cordero o lechuga con un adobo a base de vinagre de vino, aceite de girasol y un poco de sal. Sirve la ensalada verde con la ensalada de arenques y unas rodajas de huevo. Tradicionalmente, esto incluye un panecillo crujiente.

## Consejo

Si no puede conseguir un arenque Bismarck, también puede tomar un arenque en escabeche clásico del estante refrigerado si es necesario. Lo mismo ocurre con los filetes de arenque. Si le agrega matjes, a menudo no es necesario salar la ensalada de arenque, ya que los filetes suelen estar muy salados.

# ENSALADA DE PÁJARO CON FRIJOLES Y TOCINO

Porciones: 2

## INGREDIENTES

- 250 g de patatas cerosas (2 medianas)
- 1 cebolla morada mediana
- 100 a 125 g de lechuga
- 150 a 200 g de frijoles escarabajo cocidos
- 70 g de tocino
- 2 rebanadas pequeñas de pan negro "viejo"
- 2 cucharadas de mantequilla
- 2 cucharadas de semillas de calabaza tostadas
- 1 a 2 huevos duros

Vendaje

- 3 cucharadas de vinagre de sidra de manzana

- 3 cucharadas de vinagre de vino tinto
- 6 cucharadas de aceite de semilla de calabaza
- sal

## PREPARACIÓN

Remoje los frijoles escarabajo durante la noche y cocine hasta que estén suaves al día siguiente sin sal. Hervir las patatas con la piel, pelarlas aún calientes y cortarlas en rodajas. Picar finamente la cebolla y sofreírla en un poco de mantequilla. Para el aderezo, mezcle bien todos los ingredientes. Marina con cuidado las patatas, los frijoles y la cebolla con la mitad del aderezo. Picar el tocino y dorarlo en un poco de mantequilla. Justo antes de servir: Para los picatostes, corte el pan en cubos pequeños y dore también en mantequilla. Marina la lechuga lavada con el resto del aderezo. Sirve la ensalada de ave junto con las papas marinadas o los frijoles escarabajos. Espolvoree con tocino, picatostes de pan integral y semillas de calabaza tostadas. Decora con las rodajas de huevo duro.

Consejo

Los frijoles de escarabajo de Estiria también están disponibles en latas de muy buena calidad. Esta es una buena alternativa cuando las cosas deben hacerse rápidamente.

# SOPA DE LENTEJAS ROJAS CON CURMERICA

Porciones: 8

## INGREDIENTES

- 1 cebolla grande o 2 medianas
- 300 g de lentejas rojas
- 3-4 cucharadas de aceite de oliva
- 2 dientes de ajo
- Vinagre de manzana o hespérida
- 1 cucharadita de cúrcuma
- chile
- Sal pimienta
- 2 cucharadas de pasta de tomate
- 1 - 1,5 litros de agua
- 100 g de crema agria
- perejil

## PREPARACIÓN

Lave bien las lentejas rojas con agua fría. Cortar la cebolla en cubos finos y dorar ligeramente en aceite de oliva. Luego agregue los ajos pelados y triturados, tueste un poco. Desglasar con el vinagre y añadir las lentejas. Vierta agua. Las lentes deben estar cubiertas. Agrega la cúrcuma, la pasta de tomate y las demás especias. Cocine hasta que esté suave durante 15 a 20 minutos a temperatura media. Mezclar finamente la sopa con la batidora de mano, volver a sazonar al gusto y finalmente incorporar la crema agria con una batidora. Sirve espolvoreado con perejil.

Consejo

Si te gusta picante, también puedes asar unos dados de tocino y espolvorearlo sobre la sopa.

# SOPA DE REPOLLO

Porciones: 4

## INGREDIENTES

- 500 g de col blanca
- 1 cebolla mediana
- 1 a 2 dientes de ajo picados
- 1 cucharada de mantequilla o aceite de girasol
- 1 cucharadita de azúcar granulada
- 1 chorrito de vinagre de manzana o hespérida
- 1 litro de agua
- 2 cucharaditas de pimienta rosa molida
- 2 cucharadas de pasta de tomate
- 1/2 cucharadita de alcaravea en polvo
- 2 hojas de laurel
- Sal pimienta
- 250 g de crema agria
- 1 cucharadita de harina

- opcional: cubitos de tocino frito

## PREPARACIÓN

Dore la cebolla finamente picada en la mantequilla o aceite caliente, luego agregue el azúcar. Dar la vuelta unas cuantas veces y verter vinagre encima, añadir pimentón en polvo y el ajo finamente picado. Ahora agregue el repollo finamente picado o la cortadora de repollo a la sopa. Vierta agua. Para condimentar, agregue semillas de alcaravea, hojas de laurel, pasta de tomate, sal y pimienta a la sopa. Cocine a fuego lento durante unos 20 a 25 minutos hasta que el repollo esté tierno. Batir la crema agria con la harina hasta que quede suave y agregar a la sopa. Condimente de nuevo con las especias. Puedes servir la sopa con o sin cubitos de tocino fritos. O puedes hacerlos puré. Esto le da una sopa de repollo elegante que sabe diferente nuevamente debido al cambio de textura. Dos sopas diferentes, con una sola receta. Disfrute de su comida.

Consejo

Tiene un factor sorpresa si sirve la sopa de dos maneras: 1 x cremosa y 1 x rústica. Simplemente haga puré la mitad de la cantidad. Servido en tazones pequeños, causa una gran impresión en los invitados al comienzo de un menú de invierno.

# ENSALADA DE ROCKET CON CEBOLLA ROJA FRITA Y JAMÓN CRUDO

Porciones: 4

## INGREDIENTES

- ensalada
- 4 puños de rúcula
- 8 hojas de jamón crudo
- 2 a 3 cebollas rojas pequeñas
- 2 cucharadas de piñones
- algunas virutas de parmesano
- aceite de oliva
- vendaje
- 3 cucharadas de vinagre balsámico
- 2 cucharadas de aceite de oliva

- sal

## PREPARACIÓN

### Ensalada

Ase los piñones en una sartén hasta que estén ligeramente dorados. Corta la cebolla por la mitad y corta 6 gajos cada uno. Sofreír la cebolla muy oscura en un poco de aceite de oliva. Cuando la cebolla esté lista, sácala de la sartén y mantenla caliente. Freír el jamón en la misma sartén hasta que esté crujiente.

### Vendaje

Mezcle todos los ingredientes para el aderezo. Mezclar la rúcula lavada con el aderezo. A continuación, coloque rápidamente la ensalada marinada, espolvoree con el jamón crudo tibio, la cebolla, los piñones y unas virutas de parmesano y sirva.

### Consejo

Con esta ensalada, es importante que los ingredientes salgan todos directamente de la sartén y que la ensalada se sirva y se coma de inmediato, de lo contrario todo se derrumbará.

# SOPA DUMPLING DE QUESO

Porciones: 4

## INGREDIENTES

- 130 g de pan de masa
- 1 papa mediana hervida
- 1 huevo
- 2 cucharadas de mantequilla
- 1 cebolla pequeña
- 100 ml de leche
- Sal, nuez moscada, perejil fresco
- 2 cucharadas de harina
- 100 g de queso picante (p. Ej., Queso de montaña)
- Mantequilla clarificada para freír
- Sopa clara de verduras o carne

## PREPARACIÓN

Picar finamente la cebolla y dorar en mantequilla. Deje enfriar. Inmediatamente pelar las patatas hervidas y triturarlas finamente con un tenedor. Batir la leche con el huevo, sazonar con sal, nuez moscada y perejil. Mezclar la leche de huevo con las albóndigas de pan, el puré de patatas y las cebollas. Finalmente, agregue 2 cucharadas de harina y el queso cortado en cubos pequeños. Deje reposar la mezcla durante unos 20 minutos. A continuación, forme pequeñas albóndigas (aproximadamente 8 piezas) y presiónelas para formar hamburguesas planas.

Calentar la mantequilla clarificada en una sartén y colocar las empanadas, hornear a fuego medio por unos 10 minutos hasta que se doren. Sirva en una sopa clara de carne o de verduras con muchas cebolletas. O lo come con una ensalada fresca y crujiente, y luego simplemente crujiente.

Consejo

Esta es una receta ideal para usar panecillos viejos y pan blanco. Asegúrate de cortar la masa antes de que esté completamente seca.

# CAPPUCCINO DE CASTAÑO

Porciones: 4

## INGREDIENTES

- Sopa
- 200 g de castañas (envasadas al vacío)
- 100 ml de nata montada
- 50 g de apio nabo
- manteca
- aprox. 500 ml de agua
- Sal pimienta
- nuez moscada
- brindis

## PREPARACIÓN

Cortar el apio pelado en cubos pequeños y tostar con un poco de mantequilla. Luego agrega las castañas y la sal, cubre con agua y cocina hasta que todo esté suave. Esto tarda unos 15 minutos. A continuación, agregue la nata montada, un poco de nuez moscada rallada y pimienta. Llevar a ebullición brevemente. Luego mezcle finamente con la batidora de mano. Si la sopa está demasiado espesa, agregue un poco más de agua y sazone al gusto. Y eso es. Le doy a cada taza otro hisopo, se ve aún mejor.

La sopa se sirve mejor con una tostada. Con el menú navideño queda bien cuando le cortas una estrella a la tostada con el molde de galleta y la sirves con la sopa.

Consejo

Como esta sopa es muy rica, la sirvo en tazas pequeñas, como un capuchino. También se ve muy elegante. Si no sirve la sopa como un plato pequeño en el menú, sino como porciones "normales", duplique la cantidad. Nadie debe ser descuidado.

# ENSALADA DE VERDURAS DE OTOÑO CARAMELIZADAS Y BLINIS DE PATATA

Porciones: 4

## INGREDIENTES

Verduras caramelizadas

- 180 g de calabaza (sin piel)
- 180 g de chirivías (sin cáscara)
- 1 cucharada de mantequilla
- 1 cucharada de aceite de oliva
- 1 cucharadita de azúcar morena
- sal
- Blinis de patata
- 200 g de patatas harinosas
- 1 huevo

- 1 cucharadita de crema fresca
- manteca
- nuez moscada
- un poco de ralladura de cáscara de limón
- Sal pimienta
- ensalada
- 1 lechuga pequeña
- 3 cucharadas de aceite de oliva
- 2 cucharadas de vinagre balsámico blanco
- 1 cucharada de jugo de limón
- sal
- 2 cucharadas de semillas de girasol

## PREPARACIÓN

Verduras caramelizadas

Corta la calabaza y las chirivías en trozos del tamaño de una boca. Caliente la mantequilla y el aceite en un horno holandés grande, luego agregue el azúcar. Agrega las verduras y sazona con sal. Tape y deje hervir a fuego lento a temperatura media durante unos 15 minutos. Revuelva una y otra vez en el medio. Las verduras deben estar doradas y no demasiado blandas.

Blinis de patata

Hervir las patatas con piel. Cuando esté listo, deje que se evapore y pele. Presione a través de la prensa de papas mientras aún esté caliente. Mezclar la nata fresca con el huevo y las especias y mezclar muy rápidamente con la mezcla de patatas. Formar pequeños táleros y freírlos en mantequilla a temperatura media, los blinis deben tener un color dorado.

Final

Marinar la ensalada lavada con el aderezo y servir con las verduras tibias, las pipas de girasol asadas y los blinis frescos.

Consejo

Las patatas se convertirán rápidamente en pasta si se revuelven demasiado. Por tanto, es fundamental mezclar bien la crema fresca con los demás ingredientes de antemano.

# SOPA DE CALABAZA RÚSTICA

Porciones: 4

## INGREDIENTES

- 1 cebolla grande
- 1 cucharada de mantequilla
- 1 calabaza Hokkaido (aproximadamente 1 kg sin pelar)
- unos 800 ml de agua
- 1 cucharadita de pimentón dulce en polvo
- Semillas de alcaravea molidas 1/2 cucharadita
- 2 cucharadas de mejorana seca
- 3 cucharadas de pasta de tomate
- 2 hojas de laurel
- 1 chorrito de vinagre de hespérida
- 1 chupito de nata montada
- Sal, pimienta, hojuelas de chile

## PREPARACIÓN

Primero pela la calabaza, quita las semillas y corta todo en trozos pequeños. Freí la cebolla finamente picada en la mantequilla hasta que esté agradable y dorada, luego dore brevemente el pimentón en polvo y los cubitos de calabaza. Todo se apaga con el vinagre. Luego, el agua y las especias restantes entran en la sopa. Dejo que las verduras hiervan a fuego medio durante 15 a 20 minutos. Solo hasta que la calabaza esté blanda. Poco antes, agrego una pizca de crema batida a la sopa. Luego le quito las hojas de laurel y mezclo muy finamente la sopa con la batidora de mano. Entonces todo se vuelve a condimentar. Sirvo la sopa con un toque de aceite de semilla de calabaza y si tengo pan negro más viejo, hago crutones con él.

Consejo

Las semillas de calabaza tostadas son la guarnición clásica. La sopa también sabe bien con semillas de girasol tostadas.

# SOPA DE VERDURAS DE INVIERNO

Porciones: 4

## INGREDIENTES

- 250 g de chirivías
- 250 g de patatas cerosas
- 150 g de zanahorias
- 1 cebolla mediana
- 2 cucharadas de mantequilla
- 2 a 3 cucharadas de crema agria
- 1 pizca de semillas de alcaravea
- 1 hoja de laurel
- Sal pimienta
- 1 cucharada de mejorana seca
- unos 800 ml de agua
- opcional: 50 g de tocino

## PREPARACIÓN

Cortar las verduras limpias y peladas en cubos pequeños. Picar finamente la cebolla y luego tostarla en mantequilla hasta que se dore. Luego agregue los cubos de papa. Vierta agua y agregue las especias. Después de 5 minutos agregue las zanahorias y las chirivías a la sopa. Después de 10 a 15 minutos, las verduras están blandas, sazone la sopa nuevamente y agregue con cuidado la crema agria ligeramente revuelta. Cortar el tocino en cubos muy pequeños y sofreírlo bien crujiente en una sartén con un poco de mantequilla. Espolvorear sobre la sopa y disfrutar con una rodaja finay pan negro tostado.

Consejo

También puedes usar la raíz de perejil para variar. Ya sea además o en lugar de las chirivías.

# ENSALADA DE CALABACIN CON FETA

Porciones: 4

## INGREDIENTES

masa

- 1 calabacín (unos 400 g)
- Aceite de oliva para freír
- Sal pimienta
- 3-4 cucharadas de vinagre de vino balsámico blanco
- 100 g de queso feta
- 2 cucharadas de semillas de girasol
- perejil

## PREPARACIÓN

Corta el calabacín en rodajas muy finas, corta a la mitad las rodajas más grandes. Freír en aceite de oliva hasta que ambos lados estén suaves y ligeramente dorados. Sal, pimienta y macerar con vinagre balsámico. Dorar ligeramente las semillas de girasol en un poco de aceite. Según tu gusto, espolvorea la ensalada tibia o enfriada con queso feta, las semillas de girasol y un poco de perejil picado. Sirva con pan negro tostado como entrada pequeña.

Consejo

El pan que tiene algunos días es mejor que el pan fresco para tostar. También puede espolvorear algunos picatostes de pan integral sobre la ensalada para variar.

# ENSALADA DE PEPINO Y PATATAS CON JAMÓN CRUDO

Porciones: 2

## INGREDIENTES

masa

- 250 g de crema agria
- 1 pepino grande
- 300 g de patatas
- 50 g de tocino
- 2-3 cucharadas de vinagre de hesperida
- 2 cucharadas de aceite de girasol
- 1 pizca de alcaravea en polvo
- 1 cucharada de eneldo seco o fresco
- Sal, pimienta y guindilla

## PREPARACIÓN

Dejar enfriar las patatas cocidas con piel, pelarlas y cortarlas en rodajas finas. Pelar y cortar finamente el pepino. Mezclar bien el vinagre, el aceite y las especias y verter sobre las patatas y el pepino. Mezclar todo con la nata montada y volver a condimentar con las especias. Cortar el tocino en trozos pequeños y tostarlo en un poco de mantequilla. Deje enfriar un poco y espolvoree sobre la ensalada de pepino.

Consejo

Los pepinos de la huerta suelen contener muchas semillas, que yo les doy. Sin embargo, no vacío el agua de pepino, se queda conmigo en la ensalada.

# CONCLUSIÓN

## ENSALADA DE SALCHICHA TRAMPA DE GRASA

Incluso si se considera que las ensaladas son particularmente bajas en calorías, no debes golpear a todos sin restricciones. Un plato de ensalada de salchichas es todo menos bajo en calorías. Depende del contenido y no del nombre. Si el aderezo contiene crema o mayonesa en lugar de ingredientes saludables y ligeros como yogur y jugo de limón, el tentempié supuestamente ligero se convierte en una bomba de calorías. Asimismo, el atún, las anchoas, el queso feta o la mozzarella convierten una ensalada en un plato principal rico en grasas. Para la figura, una ensalada crujiente de la huerta con aderezo casero ligero es mejor que, por ejemplo, una ensalada de salchicha o pasta con mayonesa o ensalada de tomate y mozzarella.

## LA CREMA HACE LA SOPA ENGORDANDO

Además de la ensalada, las sopas también se consideran alimentos para personas delgadas. Sin embargo, no todas las sopas te ayudarán a perder peso. Ingredientes sustanciales como la crema y el tocino los convierten en un alimento secreto que engorda. Incluso con la cucharada de crema fresca para refinar, inconscientemente absorbemos muchas calorías muy rápidamente. Si desea controlar su peso, en lugar de sopas cremosas y guisos abundantes, sirva sopas de verduras ligeras o caldos de carne bajos en grasa como el caldo de res. Si tiene una batidora de mano, puede procesar las verduras en una sopa cremosa sin crema.

Lightning Source UK Ltd.
Milton Keynes UK
UKHW020650210521
384114UK00001B/103